编者的话

　　寓言是故事,但又不完全等同于故事,在读故事的过程中,教会孩子们思索,并通过读故事亲身感受与提炼,故事虽然短小,寓意却常常很深远。

　　本书精选了两则著名的寓言故事:

　　朝三暮四常被用来指责那些反复无常的人。

　　买椟还珠借郑国人讥讽了那些只重形式、不顾实质的人。这种人舍本逐末,取舍不当,行为极为荒唐可笑。

　　读寓言,学道理,生动形象,意味深长。

哲　　夫

2002 年 9 月

D1745272

书　　名	妈妈的故事匣(朝三暮四)	
策　　划	孙建筠	
主　　编	王　彦	
装帧设计	哲　夫	
责任编辑	严黛玲	
编　　文	昌　丽	
绘　　画	张　华	
电脑制作	哲夫视觉工作室	
出版发行	吉林摄影出版社(长春市人民大街 124 号)	
印　　刷	崇阳县印刷厂印刷	
开　　本	880×1260 1/32	总印张:20
版　　次	2002 年 10 月第 1 版	第 1 次印刷
印　　数	1-5000 册	

ISBN7-80606-481-8/J · 293

定　　价　　72.00 元(每册定价 3.60 元)

朝三暮四

昌　丽　编文
张　华　绘画

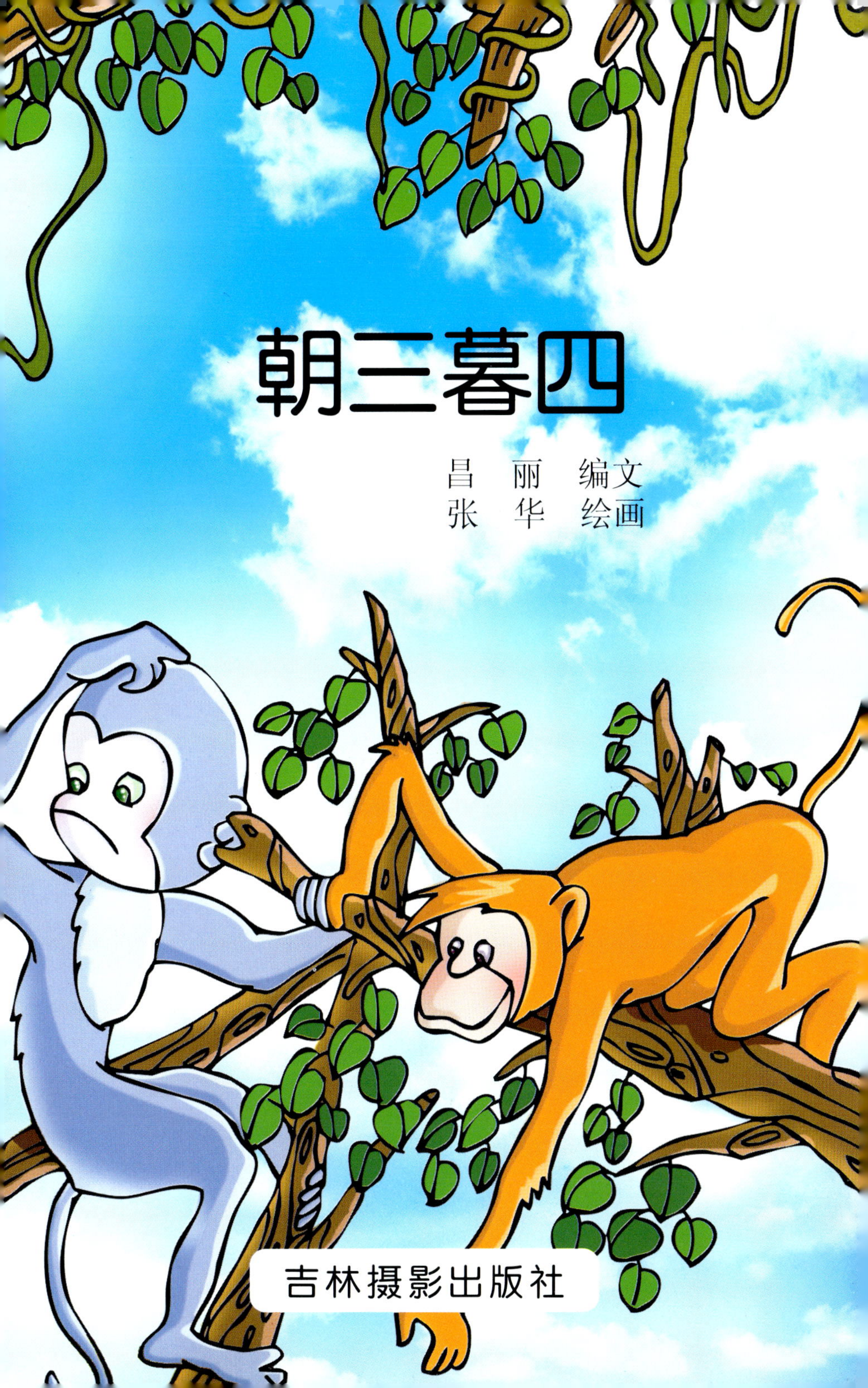

吉林摄影出版社

sòng guó yǒu gè xǐ huān hóu zi
宋国有个喜欢猴子
de rén jiā li yǎng le yī dà qún
的人，家里养了一大群
hóu zi tā měi tiān dōu hé zhè
猴子。他每天都和这
qún hóu zi zhāo xī xiāng chǔ mànmàn
群猴子朝夕相处，慢慢
de hé hóu zi jiàn lì le hěn shēn
地和猴子建立了很深
de gǎn qíng
的感情。

2

3

rì zǐ jiǔ le   tā néng gòu liǎo jiě
日子久了，他能够了解

hóu zi de yì yuàn   hóu zi yě néng dǒng
猴子的意愿，猴子也能懂

dé zhǔ rén de xīn lǐ   tā gèng ài hóu
得主人的心理。他更爱猴

zi le   qíng yuàn jié shěng xià jiā rén de
子了，情愿节省下家人的

kǒu liáng   lái mǎn zú hóu zi de yāo qiú
口粮，来满足猴子的要求。

bù jiǔ　　jiā xiāng fā le yí cì
不久，家乡发了一次
zāi huāng　liáng shí dà fú jiǎn chǎn　tā
灾荒，粮食大幅减产，他
jiā li biàn dé qióng le　biàn dǎ suàn xiàn
家里变得穷了，便打算限
zhì hóu zi de shí liàng　yòu pà hóu zi
制猴子的食量，又怕猴子
bù tīng huà　jiù xiǎng le gè bàn fǎ
不听话，就想了个办法。

6

8

他来到猴子跟前，和平常一样，猴子们立刻围上来，对着他又蹦又跳，用只有他们自己懂的语言欢迎主人的到来。

10

tā zǒu dào hóu zi zhōng jiān
他走到猴子中间，
yòng shāngliàng de yǔ qì gù yì
用商量的语气，故意
duì hóu zi shuō jīn hòu gěi nǐ
对猴子说："今后给你
men xiàng zǐ chī zǎoshàng sān kē
们橡子吃，早上三颗，
wǎnshàng sì kē gòu chī le ma
晚上四颗，够吃了吗？"

11

bú gòu　　bù gòu　　　 hóu
"不够，不够！"猴
zi men dōu xián zhǔ rén gěi dé tài
子们都嫌主人给得太
shǎo le 　yí gè gè zhí lì qǐ
少了，一个个直立起
lái 　 zī yá liě zuǐ de biǎo shì
来，龇牙咧嘴地表示
bù mǎn
不满。

13

sòng guó rén zǎo liào dào hóu zi huì
宋国人早料到猴子会
yǒu zhè zhǒng fǎn yìng jiù mǎshàng gǎi kǒu
有这种反应，就马上改口
shuō jì rán xián shǎo nà jiù gǎi wèi
说："既然嫌少，那就改为
zǎoshàng gěi sì kē wǎnshàng gěi sān kē
早上给四颗，晚上给三颗
ba zhèyàng zǒnggāi mǎn yì le ba
吧！这样，总该满意了吧？"

14

15

猴子们一听，都不出声，表示满意。宋国人看着猴子，他知道猴子们只知计较，不懂计算，得意的笑了。

买椟还珠

昌　丽　编文
罗　兵　绘画

有个楚国人，要卖他的一颗珍珠。为了卖高价，他用名贵的木头做了一个盒子，然后用桂椒香料把盒子熏香，又用各种办法，把盒子装饰得很美观。

20

他把珍珠放在盒子里，拿到市场上去卖，几个人陆续走过来，看了看，又放下了。楚国人坐了一个上午，也没卖掉珍珠。

zhè shí yuǎnyuǎn de zǒu guò lái
这时远远的走过来
yí gè zhèngguó rén tā yì yǎn jiù
一个郑国人，他一眼就
kànzhòng le zhè zhī zhuāng yǒu zhēn zhū
看中了这只装有珍珠
de mù hé zi ná zài shǒu lǐ zuǒ
的木盒子，拿在手里左
kàn yòu kàn shě bù dé fàng xià
看右看舍不得放下。

23

"好！好！真好！"郑国人看着盒子，赞不绝口。楚国人也乘机说："你真有眼光，这木盒子是用上等的木头做成的，你闻闻，这香味多纯正！"

zhèngguó rén jìn bú zhù yòu huò　　chū
郑国人禁不住诱惑，出

gāo jià mǎi xià le tā　　tā bǎ hé zi
高价买下了它。他把盒子

dǎ kāi　　qǔ chū le　lǐ miàn de zhēn zhū
打开，取出了里面的珍珠。

mài zhǔ yǐ wèi tā yí dìng hěn xǐ ài zhè
卖主以为他一定很喜爱这

kē zhēn zhū
颗珍珠。

tā zhèngzhǔn bèi zài xiàngzhèngguó rén kuā kǒu shuō zhè gè
他正准备再向郑国人夸口说这个
zhēn zhū rú hé hǎo shí　chū rén yì liào de shì qíng fā shēng
珍珠如何好时，出人意料的事情发生
le　 zhè gè zhèngguó rén zhǐ liú xià le hé zi　 què bǎ
了：这个郑国人只留下了盒子，却把
zhēn zhū huán gěi le mài zhǔ
珍珠还给了卖主。

rén men dōu gǎn dào hěn qí guài　　 fēn fēn yì lùn

人们都感到很奇怪，纷纷议论

shuō 　　　　 zhè gè mǎi zhǔ shì mǎi hé zi yā 　 nǎ lǐ

说：“这个买主是买盒子呀，哪里

shì mǎi zhū zǐ ne 　　　 mài zhǔ zhàn zài nà ér 　　 kàn

是买珠子呢？”卖主站在那儿，看

zhe jiàn jiàn yuǎn qù de zhèng guó rén 　　 yī liǎn yí

着渐渐远去的郑国人，一脸疑

huò 　　 hé zi zhí qián hái shì zhēn zhū zhí qián ne

惑，“盒子值钱还是珍珠值钱呢？”